Editor de Oceáno Travesía: Daniel Goldin

EL PEQUEÑO INVENTOR

Título original: JOGEUMAN BALMYEONGGA

Tradujo Agatha Yoo de la edición original en coreano de Sakyejul Publishing Ltd., Paju.

Formación: Francisco Ibarra Meza π

Publicado según acuerdo con Sakyejul Publishing Ltd., Paju.

D.R. ©, 2009 Editorial Océano, S.L.
Milanesat 21-23
Edificio Océano
08017 Barcelona, España
Tel. 93 280 20 20
www.oceano.com

D.R. ©, 2009 Editorial Océano de México, S.A. de C.V.
Blvd. Manuel Ávila Camacho 76, 10º piso
Col. Lomas de Chapultepec, Del. Miguel Hidalgo,
Código Postal 11000, México, D.F.
Tel. (55) 9178 5100
www.oceano.com.mx

PRIMERA EDICIÓN

ISBN: 978-84-494-2076-4 (Océano España)
ISBN: 978-607-400-094-8 (Océano México)

HECHO EN MÉXICO / *MADE IN MEXICO*
IMPRESO EN ESPAÑA / *PRINTED IN ESPAÑA*

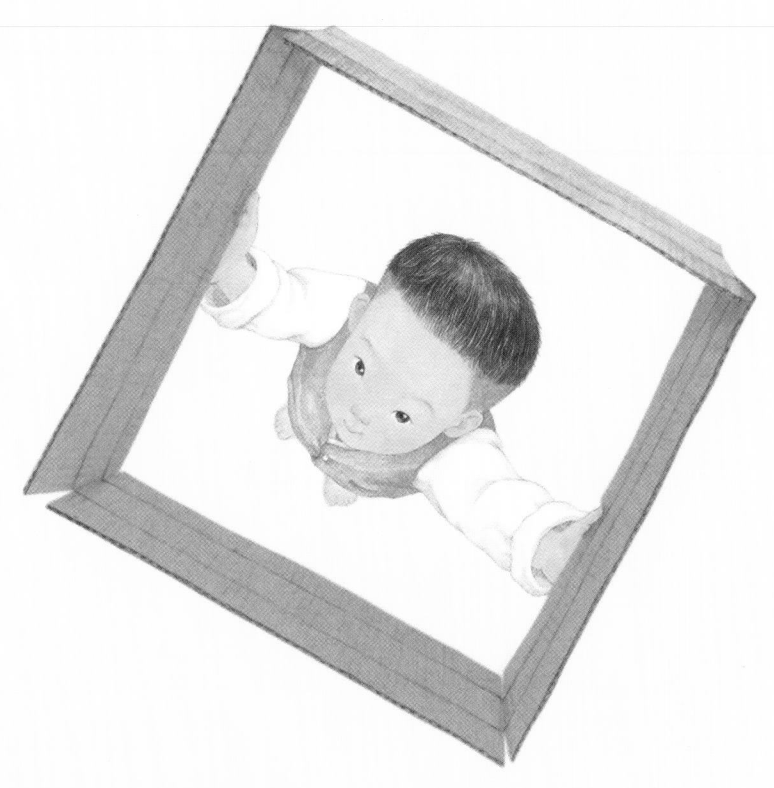

El pequeño INVENTOR

Hyun Duk • Cho Mi-ae

OCEANO Travesía

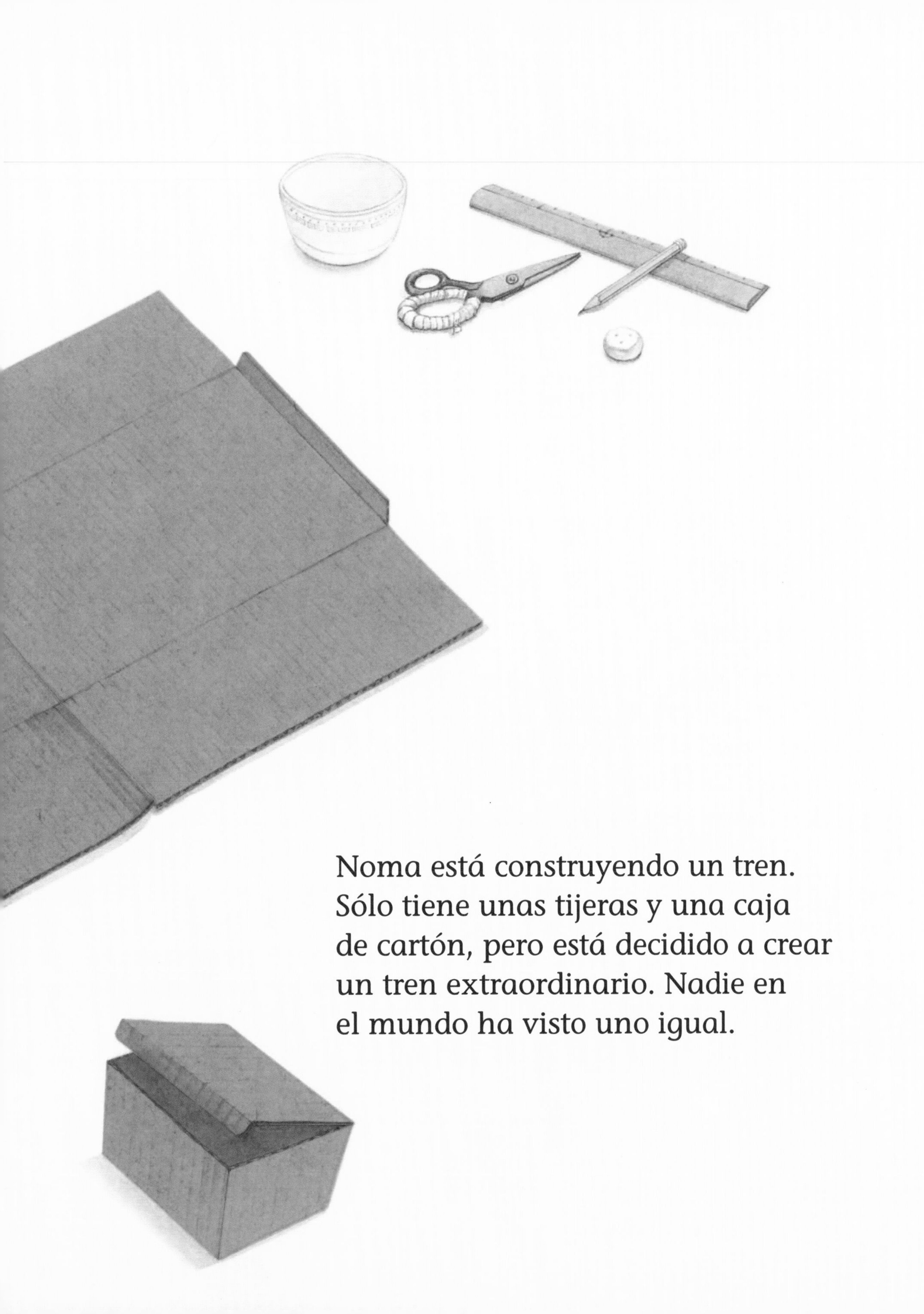

Noma está construyendo un tren.
Sólo tiene unas tijeras y una caja
de cartón, pero está decidido a crear
un tren extraordinario. Nadie en
el mundo ha visto uno igual.

Primero recorta la caja en diferentes formas. Círculos para hacer las ruedas. Un rectángulo enrollado será la chimenea. Y así corta, una por una, las piezas que serán la locomotora y los vagones. Las irá añadiendo hasta construir un verdadero tren.

El trabajo no es nada sencillo. Antes de recortar cada una de las piezas, Noma traza una guía sobre la caja. Tiene que pensar primero cuántas ruedas necesita para el vagón de pasajeros y cuántas para el de carga.

No está seguro. Habrá que preguntarle a mamá.
Ella sabe muchas cosas.

– Mamá, ¿cuántas ruedas tiene la locomotora?

– Bueno, veamos, tiene tres a cada lado, entonces son seis en total.

– ¿Y cuántas ruedas tiene el vagón de pasajeros?

– Ése tiene dos a cada lado, así que son cuatro en total.

– ¿Y el vagón de carga?

– Pues tiene el mismo número que el vagón de pasajeros.

Noma traza el número exacto de ruedas.
Pero otra vez tiene dudas.
– Mamá, ¿cuántas ventanas tiene
el vagón de pasajeros?
– Déjame pensar, hijo…
¿Cuántas tendrá…?
– Piensa mamá, pero dime cuántas.
– Lo siento, mi amor,
eso no lo sé.

기차와
자동차

Si mamá no lo sabe, ¿dónde encontrar la respuesta? Noma toma un libro sobre trenes y autos y lo hojea. Ahí sí dice que el vagón de pasajeros tiene doce ventanas. Es un libro muy útil para Noma, pues ahora también sabe que el tren tiene una lámpara delantera. Eso tampoco lo sabía mamá.

Inmediatamente Noma empieza a trazar las ventanas y la lámpara delantera que ilumina el camino. El diseño está acabado, ahora hay que recortar cuidadosamente. Después habrá que colocar las piezas en su lugar.

Se requiere mucha habilidad
para unir todas las piezas.

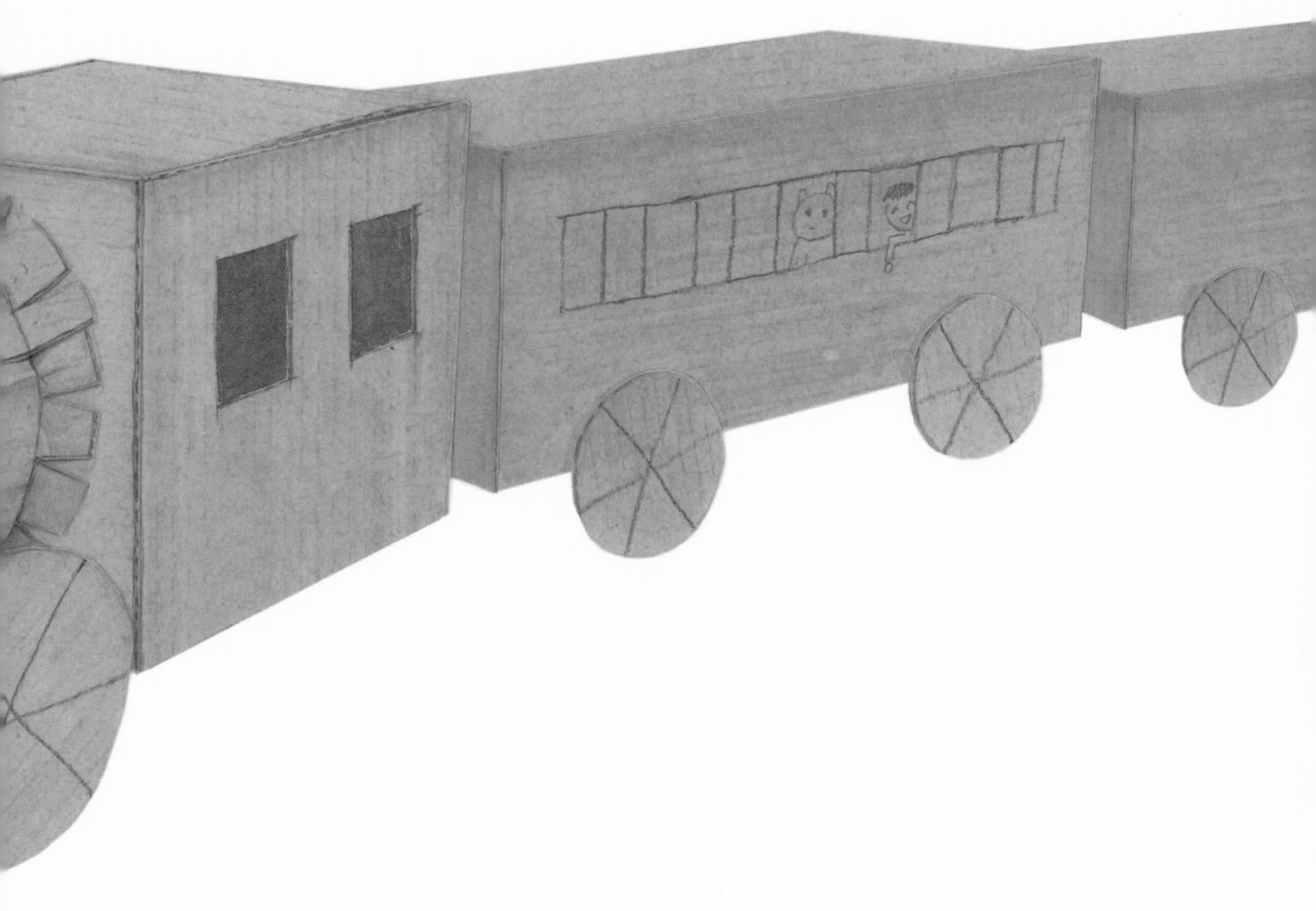

La locomotora está completa.
También el vagón de pasajeros.
Y, por último, el vagón de carga.
Noma ha terminado un tren
extraordinario. Podría presentarlo
orgullosamente en cualquier
parte del mundo. Es casi idéntico
a los trenes verdaderos que se
encuentran en la estación.

Noma está muy contento. Ha construido un tren casi real. Seguramente el inventor sintió la misma alegría cuando terminó de fabricar el verdadero tren.

Si continúa así, tal vez él podrá crear un tren muchísimo mejor que el real. Entonces su alegría será aún mayor y recordará lo que ha sentido hoy.

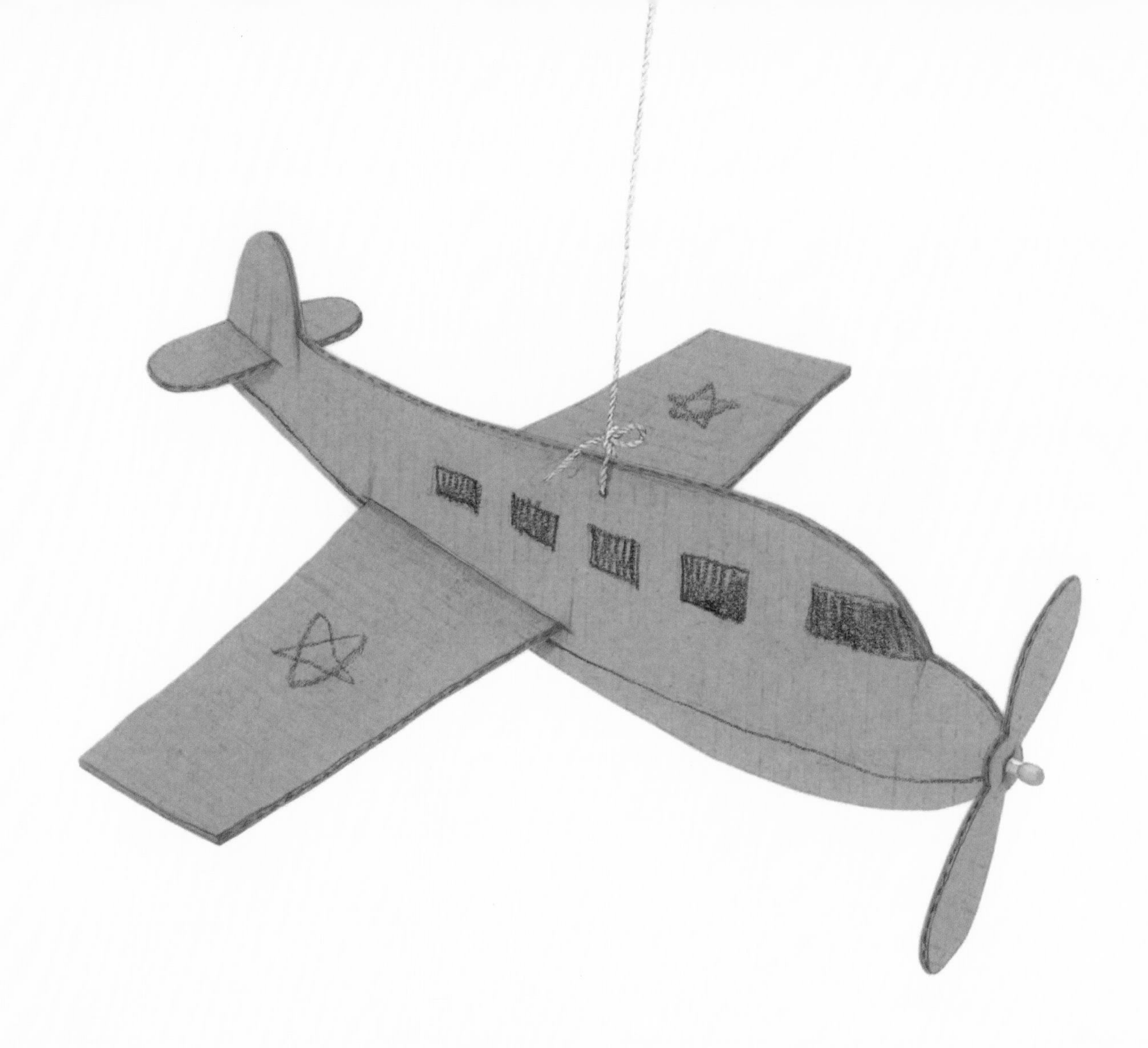

Pues hoy Noma ha comenzado a
ser un pequeño gran inventor.

10-8-2017

"El nacimiento
representa el principio de
todo, es el milagro del presente y
La esperanza del futuro"
¡Felicidades! Por la llegada del
nuevo bebé a su familia.
Y. Leitão